35lb

THIS JOURNAL BELONGS TO

LET THIS JOURNAL BUILD YOU UP

&

ENCOURAGE YOU

BROWN COUNSELING
& CONSULTING. LLC

info.counselingandconsulting@gmail.com

MORNING

DAILY AFFIRMATIONS

I AM *more than a conqueror*
I AM *hard working*
I AM *good enough*
I AM _____
I AM _____

PLAN TO BE BETTER THAN YESTERDAY

say affirmations everyday out loud.

TO-DO LIST

- ✓ get son from car line
- ✓ pick up prescription
- ✓ read one chapter of a new book
- ✗ get to noon workout
- ✗ finish expense report
- ☐ _____
- ☐ _____
- ☐ _____
- ☐ _____
- ☐ _____
- ☐ _____

NOTES:
today i felt tired from not sleeping throughout the night.
i stayed up watching a movie. today i was stuck in my head about not being
a good enough husband. i know i struggle with being insecure and thoughts
of not being good enough. this journal is helping me bring awareness to my
insecurities.

NIGHT

⚙ SMALL WINS

- i helped a stranger with a flat tire
- my boss gave me a compliment
- made an extra payment on house note
- wife got a raise
- spent one hour with my son at the
- coffee shop.
- _____
- _____
- _____
- _____
- _____
- _____

WHO I'M GRATEFUL FOR?

- my son
- my wife
- stranger being kind
- boss
- god

DID I ACCOMPLISH?

WORKOUT	YES	(NO)
WATER INTAKE	(YES)	NO
BEING MY BEST	(YES)	NO

GET DONE TOMORROW

finish my workout

call tax guy

pick up son from football
practice

WHAT KEPT ME GOING?

knowing that people can
be nice so I can return
the favor

2

DATE: _____

S M T W T F S

MORNING

DAILY AFFIRMATIONS

I AM _____

I AM _____

I AM _____

I AM _____

I AM _____

PLAN TO BE BETTER THAN
YESTERDAY

TO-DO LIST

- ☐ _____
- ☐ _____
- ☐ _____
- ☐ _____
- ☐ _____
- ☐ _____
- ☐ _____
- ☐ _____
- ☐ _____
- ☐ _____
- ☐ _____
- ☐ _____

NOTES:
_____
_____
_____
_____
_____
_____
_____
_____
_____

❄ ☁ 🌧 ☀

NIGHT

🎯 SMALL WINS

⬌— ⟋⟍⟋⟍⟋⟍
⬌—
⬌—
⬌—
⬌—
⬌—
⬌—
⬌—
⬌—
⬌—
⬌—
⬌—

WHO I'M GRATEFUL FOR?

-
-
-
-
-

DID I ACCOMPLISH?

WORKOUT	YES	NO
WATER INTAKE	YES	NO
BEING MY BEST	YES	NO

GET DONE TOMORROW

WHAT KEPT ME GOING?

DATE: _____

S M T W T F S

MORNING

DAILY AFFIRMATIONS

I AM _____
I AM _____
I AM _____
I AM _____
I AM _____

PLAN TO BE BETTER THAN YESTERDAY

TO-DO LIST

- [ ] _____
- [ ] _____
- [ ] _____
- [ ] _____
- [ ] _____
- [ ] _____
- [ ] _____
- [ ] _____
- [ ] _____
- [ ] _____
- [ ] _____
- [ ] _____
- [ ] _____

NOTES:
_____
_____
_____
_____
_____
_____
_____
_____

❄ ☁ 🌧 ☀

NIGHT

⟟ SMALL WINS

◧–◧ _____
◧–◧ _____
◧–◧ _____
◧–◧ _____
◧–◧ _____
◧–◧ _____
◧–◧ _____
◧–◧ _____
◧–◧ _____
◧–◧ _____
◧–◧ _____
◧–◧ _____

WHO I'M GRATEFUL FOR?

- _____
- _____
- _____
- _____
- _____

DID I ACCOMPLISH?

WORKOUT	YES	NO
WATER INTAKE	YES	NO
BEING MY BEST	YES	NO

GET DONE TOMORROW

WHAT KEPT ME GOING?

_____
_____
_____
_____
_____

DATE: _____

MORNING

DAILY AFFIRMATIONS

I AM _____

I AM _____

I AM _____

I AM _____

I AM _____

PLAN TO BE BETTER THAN YESTERDAY

TO-DO LIST

- [ ] _____
- [ ] _____
- [ ] _____
- [ ] _____
- [ ] _____
- [ ] _____
- [ ] _____
- [ ] _____
- [ ] _____
- [ ] _____
- [ ] _____
- [ ] _____

NOTES:

_____

_____

_____

_____

_____

_____

_____

_____

NIGHT

✐ SMALL WINS

◐—▯ _____
◐—▯ _____
◐—▯ _____
◐—▯ _____
◐—▯ _____
◐—▯ _____
◐—▯ _____
◐—▯ _____
◐—▯ _____
◐—▯ _____
◐—▯ _____
◐—▯ _____

WHO I'M GRATEFUL FOR?

• _____
• _____
• _____
• _____
• _____

DID I ACCOMPLISH?

WORKOUT	YES	NO
WATER INTAKE	YES	NO
BEING MY BEST	YES	NO

GET DONE TOMORROW

WHAT KEPT ME GOING?

_____
_____
_____
_____
_____

MORNING

DAILY AFFIRMATIONS

I AM _____

I AM _____

I AM _____

I AM _____

I AM _____

TO-DO LIST

- [ ] _____
- [ ] _____
- [ ] _____
- [ ] _____
- [ ] _____
- [ ] _____
- [ ] _____
- [ ] _____
- [ ] _____
- [ ] _____
- [ ] _____
- [ ] _____
- [ ] _____

PLAN TO BE BETTER THAN YESTERDAY

NOTES:

_____

_____

_____

_____

_____

_____

_____

_____

☀ ☁ 🌧 ☀

NIGHT

🎯 SMALL WINS

- ⚏ ―――――――
- ⚏ ―――――――
- ⚏ ―――――――
- ⚏ ―――――――
- ⚏ ―――――――
- ⚏ ―――――――
- ⚏ ―――――――
- ⚏ ―――――――
- ⚏ ―――――――
- ⚏ ―――――――
- ⚏ ―――――――
- ⚏ ―――――――

WHO I'M GRATEFUL FOR?

- ―――――――
- ―――――――
- ―――――――
- ―――――――
- ―――――――

DID I ACCOMPLISH?

WORKOUT	YES	NO
WATER INTAKE	YES	NO
BEING MY BEST	YES	NO

GET DONE TOMORROW

WHAT KEPT ME GOING?

―――――――
―――――――
―――――――
―――――――
―――――――

DATE: _____

MORNING

DAILY AFFIRMATIONS

I AM _____

I AM _____

I AM _____

I AM _____

I AM _____

PLAN TO BE BETTER THAN
YESTERDAY

TO-DO LIST

- [ ] _____
- [ ] _____
- [ ] _____
- [ ] _____
- [ ] _____
- [ ] _____
- [ ] _____
- [ ] _____
- [ ] _____
- [ ] _____
- [ ] _____
- [ ] _____

NOTES:

_____

_____

_____

_____

_____

_____

_____

_____

NIGHT

🏋 SMALL WINS

- ⟡ _____
- ⟡ _____
- ⟡ _____
- ⟡ _____
- ⟡ _____
- ⟡ _____
- ⟡ _____
- ⟡ _____
- ⟡ _____
- ⟡ _____
- ⟡ _____
- ⟡ _____

WHO I'M GRATEFUL FOR?

- ● _____
- ● _____
- ● _____
- ● _____
- ● _____

DID I ACCOMPLISH?

WORKOUT	YES	NO
WATER INTAKE	YES	NO
BEING MY BEST	YES	NO

GET DONE TOMORROW

WHAT KEPT ME GOING?

_____
_____
_____
_____
_____

DATE: _____

MORNING

DAILY AFFIRMATIONS

I AM _____

I AM _____

I AM _____

I AM _____

I AM _____

PLAN TO BE BETTER THAN
YESTERDAY

TO-DO LIST

- [ ] _____
- [ ] _____
- [ ] _____
- [ ] _____
- [ ] _____
- [ ] _____
- [ ] _____
- [ ] _____
- [ ] _____
- [ ] _____
- [ ] _____
- [ ] _____

NOTES:

_____

_____

_____

_____

_____

_____

_____

_____

13

NIGHT

SMALL WINS

- _____
- _____
- _____
- _____
- _____
- _____
- _____
- _____
- _____
- _____
- _____
- _____

WHO I'M GRATEFUL FOR?

- _____
- _____
- _____
- _____
- _____

DID I ACCOMPLISH?

WORKOUT	YES	NO
WATER INTAKE	YES	NO
BEING MY BEST	YES	NO

GET DONE TOMORROW

WHAT KEPT ME GOING?

_____
_____
_____
_____
_____

MORNING

DAILY AFFIRMATIONS

I AM _____

I AM _____

I AM _____

I AM _____

I AM _____

**PLAN TO BE BETTER THAN
YESTERDAY**

TO-DO LIST

- [ ] _____
- [ ] _____
- [ ] _____
- [ ] _____
- [ ] _____
- [ ] _____
- [ ] _____
- [ ] _____
- [ ] _____
- [ ] _____
- [ ] _____
- [ ] _____

NOTES:

_____

_____

_____

_____

_____

_____

_____

_____

❄ ☁ 🌧 ☀

NIGHT

SMALL WINS

- |——————————————
- |——————————————
- |——————————————
- |——————————————
- |——————————————
- |——————————————
- |——————————————
- |——————————————
- |——————————————
- |——————————————
- |——————————————
- |——————————————

GET DONE TOMORROW

WHO I'M GRATEFUL FOR?

- ———————————————
- ———————————————
- ———————————————
- ———————————————
- ———————————————

DID I ACCOMPLISH?

WORKOUT	YES	NO
WATER INTAKE	YES	NO
BEING MY BEST	YES	NO

WHAT KEPT ME GOING?

———————————————
———————————————
———————————————
———————————————
———————————————

Weekly review

_____

MY FAVORITE AFFIRMATIONS WERE:

I AM _____

I AM _____

I AM _____

I AM _____

I AM _____

MY FAVORITE SMALL WINS WERE:

⊩ _____

⊩ _____

⊩ _____

⊩ _____

⊩ _____

remember SMALL WINS

equal BIG GAINS

notes

MORNING

DAILY AFFIRMATIONS

I AM _____

I AM _____

I AM _____

I AM _____

I AM _____

TO-DO LIST

- [ ] _____
- [ ] _____
- [ ] _____
- [ ] _____
- [ ] _____
- [ ] _____
- [ ] _____
- [ ] _____
- [ ] _____
- [ ] _____
- [ ] _____
- [ ] _____

PLAN TO BE BETTER THAN YESTERDAY

NOTES:

_____

_____

_____

_____

_____

_____

_____

_____

NIGHT

⌖ SMALL WINS

- ⊦⊣ _____
- ⊦⊣ _____
- ⊦⊣ _____
- ⊦⊣ _____
- ⊦⊣ _____
- ⊦⊣ _____
- ⊦⊣ _____
- ⊦⊣ _____
- ⊦⊣ _____
- ⊦⊣ _____
- ⊦⊣ _____
- ⊦⊣ _____

WHO I'M GRATEFUL FOR?

- _____
- _____
- _____
- _____
- _____

DID I ACCOMPLISH?

WORKOUT	YES	NO
WATER INTAKE	YES	NO
BEING MY BEST	YES	NO

GET DONE TOMORROW

WHAT KEPT ME GOING?

_____
_____
_____
_____
_____

MORNING

DAILY AFFIRMATIONS

I AM _____

I AM _____

I AM _____

I AM _____

I AM _____

PLAN TO BE BETTER THAN
YESTERDAY

TO-DO LIST

- [ ] _____
- [ ] _____
- [ ] _____
- [ ] _____
- [ ] _____
- [ ] _____
- [ ] _____
- [ ] _____
- [ ] _____
- [ ] _____
- [ ] _____
- [ ] _____

NOTES:

_____

_____

_____

_____

_____

_____

_____

NIGHT

SMALL WINS

- _____
- _____
- _____
- _____
- _____
- _____
- _____
- _____
- _____
- _____
- _____
- _____

WHO I'M GRATEFUL FOR?

- _____
- _____
- _____
- _____
- _____

DID I ACCOMPLISH?

WORKOUT	YES	NO
WATER INTAKE	YES	NO
BEING MY BEST	YES	NO

GET DONE TOMORROW

WHAT KEPT ME GOING?

_____

_____

_____

_____

_____

MORNING

DAILY AFFIRMATIONS

I AM _____

I AM _____

I AM _____

I AM _____

I AM _____

TO-DO LIST

- [ ] _____
- [ ] _____
- [ ] _____
- [ ] _____
- [ ] _____
- [ ] _____
- [ ] _____
- [ ] _____
- [ ] _____
- [ ] _____
- [ ] _____
- [ ] _____

PLAN TO BE BETTER THAN YESTERDAY

NOTES:

_____

_____

_____

_____

_____

_____

_____

_____

❄ ☁ 🌧 ☀

NIGHT

🏋 SMALL WINS

- ⚊ _____
- ⚊ _____
- ⚊ _____
- ⚊ _____
- ⚊ _____
- ⚊ _____
- ⚊ _____
- ⚊ _____
- ⚊ _____
- ⚊ _____
- ⚊ _____
- ⚊ _____

WHO I'M GRATEFUL FOR?

- _____
- _____
- _____
- _____
- _____

DID I ACCOMPLISH?

WORKOUT	YES	NO
WATER INTAKE	YES	NO
BEING MY BEST	YES	NO

GET DONE TOMORROW

WHAT KEPT ME GOING?

_____
_____
_____
_____
_____

S M T W T F S

MORNING

DAILY AFFIRMATIONS

I AM _____

I AM _____

I AM _____

I AM _____

I AM _____

TO-DO LIST

- [ ] _____
- [ ] _____
- [ ] _____
- [ ] _____
- [ ] _____
- [ ] _____
- [ ] _____
- [ ] _____
- [ ] _____
- [ ] _____
- [ ] _____
- [ ] _____

PLAN TO BE BETTER THAN YESTERDAY

NOTES:

_____

_____

_____

_____

_____

_____

_____

_____

❄ ☁ 🌧 ☀

NIGHT

🎯 SMALL WINS

‖–‖ _____
‖–‖ _____
‖–‖ _____
‖–‖ _____
‖–‖ _____
‖–‖ _____
‖–‖ _____
‖–‖ _____
‖–‖ _____
‖–‖ _____
‖–‖ _____
‖–‖ _____

WHO I'M GRATEFUL FOR?

• _____
• _____
• _____
• _____
• _____

DID I ACCOMPLISH?

WORKOUT	YES	NO
WATER INTAKE	YES	NO
BEING MY BEST	YES	NO

GET DONE TOMORROW

WHAT KEPT ME GOING?

_____
_____
_____
_____
_____

MORNING

DAILY AFFIRMATIONS

I AM _____

I AM _____

I AM _____

I AM _____

I AM _____

PLAN TO BE BETTER THAN YESTERDAY

TO-DO LIST

- [ ] _____
- [ ] _____
- [ ] _____
- [ ] _____
- [ ] _____
- [ ] _____
- [ ] _____
- [ ] _____
- [ ] _____
- [ ] _____
- [ ] _____
- [ ] _____

NOTES:

_____

_____

_____

_____

_____

_____

_____

_____

�**** ☁ 🌧 ☀

NIGHT

🎯 SMALL WINS

◖–◗ _____
◖–◗ _____
◖–◗ _____
◖–◗ _____
◖–◗ _____
◖–◗ _____
◖–◗ _____
◖–◗ _____
◖–◗ _____
◖–◗ _____
◖–◗ _____
◖–◗ _____

WHO I'M GRATEFUL FOR?

● _____
● _____
● _____
● _____
● _____

DID I ACCOMPLISH?

WORKOUT	YES	NO
WATER INTAKE	YES	NO
BEING MY BEST	YES	NO

GET DONE TOMORROW

WHAT KEPT ME GOING?

_____
_____
_____
_____
_____

MORNING

DAILY AFFIRMATIONS

I AM _____

I AM _____

I AM _____

I AM _____

I AM _____

PLAN TO BE BETTER THAN YESTERDAY

TO-DO LIST

- [ ] _____
- [ ] _____
- [ ] _____
- [ ] _____
- [ ] _____
- [ ] _____
- [ ] _____
- [ ] _____
- [ ] _____
- [ ] _____
- [ ] _____
- [ ] _____
- [ ] _____

NOTES:

_____

_____

_____

_____

_____

_____

_____

_____

NIGHT

🎯 SMALL WINS

🏋 _____
🏋 _____
🏋 _____
🏋 _____
🏋 _____
🏋 _____
🏋 _____
🏋 _____
🏋 _____
🏋 _____
🏋 _____
🏋 _____

WHO I'M GRATEFUL FOR?

● _____
● _____
● _____
● _____
● _____

DID I ACCOMPLISH?

WORKOUT	YES	NO
WATER INTAKE	YES	NO
BEING MY BEST	YES	NO

GET DONE TOMORROW

WHAT KEPT ME GOING?

_____
_____
_____
_____
_____

MORNING

DAILY AFFIRMATIONS

I AM _____

I AM _____

I AM _____

I AM _____

I AM _____

PLAN TO BE BETTER THAN YESTERDAY

TO-DO LIST

- [ ] _____
- [ ] _____
- [ ] _____
- [ ] _____
- [ ] _____
- [ ] _____
- [ ] _____
- [ ] _____
- [ ] _____
- [ ] _____
- [ ] _____
- [ ] _____

NOTES:

_____

_____

_____

_____

_____

_____

_____

_____

NIGHT

⌖ SMALL WINS

- ⫶⫶ _____
- ⫶⫶ _____
- ⫶⫶ _____
- ⫶⫶ _____
- ⫶⫶ _____
- ⫶⫶ _____
- ⫶⫶ _____
- ⫶⫶ _____
- ⫶⫶ _____
- ⫶⫶ _____
- ⫶⫶ _____
- ⫶⫶ _____

WHO I'M GRATEFUL FOR?

- ● _____
- ● _____
- ● _____
- ● _____
- ● _____

DID I ACCOMPLISH?

WORKOUT	YES	NO
WATER INTAKE	YES	NO
BEING MY BEST	YES	NO

GET DONE TOMORROW

WHAT KEPT ME GOING?

_____
_____
_____
_____
_____

Weekly review

MY FAVORITE AFFIRMATIONS WERE:

I AM _____

I AM _____

I AM _____

I AM _____

I AM _____

MY FAVORITE SMALL WINS WERE:

🏋 _____

🏋 _____

🏋 _____

🏋 _____

🏋 _____

remember SMALL WINS

equal BIG GAINS

notes

MORNING

DAILY AFFIRMATIONS

I AM _____

I AM _____

I AM _____

I AM _____

I AM _____

PLAN TO BE BETTER THAN YESTERDAY

TO-DO LIST

- [ ] _____
- [ ] _____
- [ ] _____
- [ ] _____
- [ ] _____
- [ ] _____
- [ ] _____
- [ ] _____
- [ ] _____
- [ ] _____
- [ ] _____
- [ ] _____

NOTES:

_____

_____

_____

_____

_____

_____

_____

_____

※ ☁ ☂ ☀

NIGHT

🎯 SMALL WINS

〈-〉 _____
〈-〉 _____
〈-〉 _____
〈-〉 _____
〈-〉 _____
〈-〉 _____
〈-〉 _____
〈-〉 _____
〈-〉 _____
〈-〉 _____
〈-〉 _____
〈-〉 _____

WHO I'M GRATEFUL FOR?

- _____
- _____
- _____
- _____
- _____

DID I ACCOMPLISH?

WORKOUT	YES	NO
WATER INTAKE	YES	NO
BEING MY BEST	YES	NO

GET DONE TOMORROW

WHAT KEPT ME GOING?

_____
_____
_____
_____
_____

MORNING

DAILY AFFIRMATIONS

I AM _____

I AM _____

I AM _____

I AM _____

I AM _____

> PLAN TO BE BETTER THAN
> YESTERDAY

TO-DO LIST

☐ _____

☐ _____

☐ _____

☐ _____

☐ _____

☐ _____

☐ _____

☐ _____

☐ _____

☐ _____

☐ _____

☐ _____

NOTES:
_____

_____

_____

_____

_____

_____

_____

_____

NIGHT

🎯 SMALL WINS

⊩⊪ —————————————————
⊩⊪ —————————————————
⊩⊪ —————————————————
⊩⊪ —————————————————
⊩⊪ —————————————————
⊩⊪ —————————————————
⊩⊪ —————————————————
⊩⊪ —————————————————
⊩⊪ —————————————————
⊩⊪ —————————————————
⊩⊪ —————————————————
⊩⊪ —————————————————

WHO I'M GRATEFUL FOR?

- ——————————————————
- ——————————————————
- ——————————————————
- ——————————————————
- ——————————————————

DID I ACCOMPLISH?

WORKOUT	YES	NO
WATER INTAKE	YES	NO
BEING MY BEST	YES	NO

GET DONE TOMORROW

WHAT KEPT ME GOING?

————————————————————
————————————————————
————————————————————
————————————————————
————————————————————

MORNING

DAILY AFFIRMATIONS

I AM _____

I AM _____

I AM _____

I AM _____

I AM _____

PLAN TO BE BETTER THAN
YESTERDAY

TO-DO LIST

- [ ] _____
- [ ] _____
- [ ] _____
- [ ] _____
- [ ] _____
- [ ] _____
- [ ] _____
- [ ] _____
- [ ] _____
- [ ] _____
- [ ] _____
- [ ] _____

NOTES:

_____

_____

_____

_____

_____

_____

_____

_____

_____

❄ ☁ 🌧 ☀

NIGHT

🏹 SMALL WINS

▯—▯ _____
▯—▯ _____
▯—▯ _____
▯—▯ _____
▯—▯ _____
▯—▯ _____
▯—▯ _____
▯—▯ _____
▯—▯ _____
▯—▯ _____
▯—▯ _____
▯—▯ _____

WHO I'M GRATEFUL FOR?

● _____
● _____
● _____
● _____
● _____

DID I ACCOMPLISH?

WORKOUT	YES	NO
WATER INTAKE	YES	NO
BEING MY BEST	YES	NO

GET DONE TOMORROW

WHAT KEPT ME GOING?

_____
_____
_____
_____
_____

MORNING

DAILY AFFIRMATIONS

I AM _____

I AM _____

I AM _____

I AM _____

I AM _____

PLAN TO BE BETTER THAN YESTERDAY

TO-DO LIST

- ☐ _____
- ☐ _____
- ☐ _____
- ☐ _____
- ☐ _____
- ☐ _____
- ☐ _____
- ☐ _____
- ☐ _____
- ☐ _____
- ☐ _____
- ☐ _____

NOTES:

_____

_____

_____

_____

_____

_____

_____

_____

NIGHT

SMALL WINS

- ―――――――――――――――――
- ―――――――――――――――――
- ―――――――――――――――――
- ―――――――――――――――――
- ―――――――――――――――――
- ―――――――――――――――――
- ―――――――――――――――――
- ―――――――――――――――――
- ―――――――――――――――――
- ―――――――――――――――――
- ―――――――――――――――――
- ―――――――――――――――――

WHO I'M GRATEFUL FOR?

- ―――――――――――――――――
- ―――――――――――――――――
- ―――――――――――――――――
- ―――――――――――――――――
- ―――――――――――――――――

DID I ACCOMPLISH?

WORKOUT	YES	NO
WATER INTAKE	YES	NO
BEING MY BEST	YES	NO

GET DONE TOMORROW

WHAT KEPT ME GOING?

MORNING

DAILY AFFIRMATIONS

I AM _____
I AM _____
I AM _____
I AM _____
I AM _____

PLAN TO BE BETTER THAN
YESTERDAY

TO-DO LIST

- [ ] _____
- [ ] _____
- [ ] _____
- [ ] _____
- [ ] _____
- [ ] _____
- [ ] _____
- [ ] _____
- [ ] _____
- [ ] _____
- [ ] _____
- [ ] _____

NOTES:

_____
_____
_____
_____
_____
_____
_____
_____
_____

❄ ☁ 🌧 ☀

NIGHT

⌖ SMALL WINS

◧–◨ _____
◧–◨ _____
◧–◨ _____
◧–◨ _____
◧–◨ _____
◧–◨ _____
◧–◨ _____
◧–◨ _____
◧–◨ _____
◧–◨ _____
◧–◨ _____
◧–◨ _____

WHO I'M GRATEFUL FOR?

● _____
● _____
● _____
● _____
● _____

DID I ACCOMPLISH?

WORKOUT	YES	NO
WATER INTAKE	YES	NO
BEING MY BEST	YES	NO

GET DONE TOMORROW

WHAT KEPT ME GOING?

_____
_____
_____
_____
_____

DATE: _____

S M T W T F S

MORNING

DAILY AFFIRMATIONS

I AM _____
I AM _____
I AM _____
I AM _____
I AM _____

PLAN TO BE BETTER THAN
YESTERDAY

TO-DO LIST

☐ _____
☐ _____
☐ _____
☐ _____
☐ _____
☐ _____
☐ _____
☐ _____
☐ _____
☐ _____
☐ _____
☐ _____

NOTES:
_____
_____
_____
_____
_____
_____
_____

45

NIGHT

⊘ SMALL WINS

- ▯▯ _____
- ▯▯ _____
- ▯▯ _____
- ▯▯ _____
- ▯▯ _____
- ▯▯ _____
- ▯▯ _____
- ▯▯ _____
- ▯▯ _____
- ▯▯ _____
- ▯▯ _____
- ▯▯ _____

WHO I'M GRATEFUL FOR?

- ● _____
- ● _____
- ● _____
- ● _____
- ● _____

DID I ACCOMPLISH?

WORKOUT	YES	NO
WATER INTAKE	YES	NO
BEING MY BEST	YES	NO

GET DONE TOMORROW

WHAT KEPT ME GOING?

_____
_____
_____
_____
_____

MORNING

DAILY AFFIRMATIONS

I AM _____

I AM _____

I AM _____

I AM _____

I AM _____

PLAN TO BE BETTER THAN
YESTERDAY

TO-DO LIST

☐ _____

☐ _____

☐ _____

☐ _____

☐ _____

☐ _____

☐ _____

☐ _____

☐ _____

☐ _____

☐ _____

☐ _____

NOTES:

_____

_____

_____

_____

_____

_____

_____

_____

_____

NIGHT

✎ SMALL WINS

- ⊪–⊪ _____
- ⊪–⊪ _____
- ⊪–⊪ _____
- ⊪–⊪ _____
- ⊪–⊪ _____
- ⊪–⊪ _____
- ⊪–⊪ _____
- ⊪–⊪ _____
- ⊪–⊪ _____
- ⊪–⊪ _____
- ⊪–⊪ _____
- ⊪–⊪ _____

WHO I'M GRATEFUL FOR?

- _____
- _____
- _____
- _____
- _____

DID I ACCOMPLISH?

WORKOUT	YES	NO
WATER INTAKE	YES	NO
BEING MY BEST	YES	NO

GET DONE TOMORROW

WHAT KEPT ME GOING?

_____
_____
_____
_____
_____

Weekly review

....

MY FAVORITE AFFIRMATIONS WERE:

I AM _____

I AM _____

I AM _____

I AM _____

I AM _____

MY FAVORITE SMALL WINS WERE:

🏋 _____

🏋 _____

🏋 _____

🏋 _____

🏋 _____

remember SMALL WINS

equal BIG GAINS

notes

MORNING

DAILY AFFIRMATIONS

I AM _____

I AM _____

I AM _____

I AM _____

I AM _____

PLAN TO BE BETTER THAN YESTERDAY

TO-DO LIST

- [ ] _____
- [ ] _____
- [ ] _____
- [ ] _____
- [ ] _____
- [ ] _____
- [ ] _____
- [ ] _____
- [ ] _____
- [ ] _____
- [ ] _____
- [ ] _____

NOTES:

_____

_____

_____

_____

_____

_____

_____

NIGHT

❄ ☁ 🌧 ☀

⌖ SMALL WINS

⊪—⊪ _____
⊪—⊪ _____
⊪—⊪ _____
⊪—⊪ _____
⊪—⊪ _____
⊪—⊪ _____
⊪—⊪ _____
⊪—⊪ _____
⊪—⊪ _____
⊪—⊪ _____
⊪—⊪ _____
⊪—⊪ _____

WHO I'M GRATEFUL FOR?

- _____
- _____
- _____
- _____
- _____

DID I ACCOMPLISH?

WORKOUT	YES	NO
WATER INTAKE	YES	NO
BEING MY BEST	YES	NO

GET DONE TOMORROW

WHAT KEPT ME GOING?

_____
_____
_____
_____
_____

DATE: _____

MORNING

DAILY AFFIRMATIONS

I AM _____

I AM _____

I AM _____

I AM _____

I AM _____

PLAN TO BE BETTER THAN
YESTERDAY

TO-DO LIST

- [ ] _____
- [ ] _____
- [ ] _____
- [ ] _____
- [ ] _____
- [ ] _____
- [ ] _____
- [ ] _____
- [ ] _____
- [ ] _____
- [ ] _____
- [ ] _____

NOTES:

_____

_____

_____

_____

_____

_____

_____

_____

NIGHT

🎯 SMALL WINS

- ⸻
- ⸻
- ⸻
- ⸻
- ⸻
- ⸻
- ⸻
- ⸻
- ⸻
- ⸻
- ⸻
- ⸻

WHO I'M GRATEFUL FOR?

- ⸻
- ⸻
- ⸻
- ⸻
- ⸻

DID I ACCOMPLISH?

WORKOUT	YES	NO
WATER INTAKE	YES	NO
BEING MY BEST	YES	NO

GET DONE TOMORROW

WHAT KEPT ME GOING?

DATE: _____

MORNING

DAILY AFFIRMATIONS

I AM _____

I AM _____

I AM _____

I AM _____

I AM _____

```
PLAN TO BE BETTER THAN
       YESTERDAY
```

TO-DO LIST

☐ _____

☐ _____

☐ _____

☐ _____

☐ _____

☐ _____

☐ _____

☐ _____

☐ _____

☐ _____

☐ _____

NOTES: _____

_____

_____

_____

_____

_____

_____

_____

55

NIGHT

⌖ SMALL WINS

- ⌁⌁ _____
- ⌁⌁ _____
- ⌁⌁ _____
- ⌁⌁ _____
- ⌁⌁ _____
- ⌁⌁ _____
- ⌁⌁ _____
- ⌁⌁ _____
- ⌁⌁ _____
- ⌁⌁ _____
- ⌁⌁ _____
- ⌁⌁ _____

WHO I'M GRATEFUL FOR?

- _____
- _____
- _____
- _____
- _____

DID I ACCOMPLISH?

WORKOUT	YES	NO
WATER INTAKE	YES	NO
BEING MY BEST	YES	NO

GET DONE TOMORROW

WHAT KEPT ME GOING?

_____
_____
_____
_____
_____

MORNING

DAILY AFFIRMATIONS

I AM _____

I AM _____

I AM _____

I AM _____

I AM _____

TO-DO LIST

- [ ] _____
- [ ] _____
- [ ] _____
- [ ] _____
- [ ] _____
- [ ] _____
- [ ] _____
- [ ] _____
- [ ] _____
- [ ] _____
- [ ] _____
- [ ] _____

PLAN TO BE BETTER THAN YESTERDAY

NOTES:

_____

_____

_____

_____

_____

_____

_____

_____

❄ ☁ 🌧 ☀

NIGHT

✏ SMALL WINS

- ⫶–⫶ _____
- ⫶–⫶ _____
- ⫶–⫶ _____
- ⫶–⫶ _____
- ⫶–⫶ _____
- ⫶–⫶ _____
- ⫶–⫶ _____
- ⫶–⫶ _____
- ⫶–⫶ _____
- ⫶–⫶ _____
- ⫶–⫶ _____
- ⫶–⫶ _____

WHO I'M GRATEFUL FOR?

- _____
- _____
- _____
- _____
- _____

DID I ACCOMPLISH?

WORKOUT	YES	NO
WATER INTAKE	YES	NO
BEING MY BEST	YES	NO

GET DONE TOMORROW

WHAT KEPT ME GOING?

_____
_____
_____
_____
_____

MORNING

DAILY AFFIRMATIONS

I AM _____

I AM _____

I AM _____

I AM _____

I AM _____

PLAN TO BE BETTER THAN
YESTERDAY

TO-DO LIST

☐ _____

☐ _____

☐ _____

☐ _____

☐ _____

☐ _____

☐ _____

☐ _____

☐ _____

☐ _____

☐ _____

☐ _____

NOTES:

_____

_____

_____

_____

_____

_____

_____

_____

❄ ☁ 🌧 ☀

NIGHT

🎯 SMALL WINS

- ‖–‖ _____
- ‖–‖ _____
- ‖–‖ _____
- ‖–‖ _____
- ‖–‖ _____
- ‖–‖ _____
- ‖–‖ _____
- ‖–‖ _____
- ‖–‖ _____
- ‖–‖ _____
- ‖–‖ _____
- ‖–‖ _____

WHO I'M GRATEFUL FOR?

- _____
- _____
- _____
- _____
- _____

DID I ACCOMPLISH?

WORKOUT	YES	NO
WATER INTAKE	YES	NO
BEING MY BEST	YES	NO

GET DONE TOMORROW

WHAT KEPT ME GOING?

MORNING

DAILY AFFIRMATIONS

I AM _____

I AM _____

I AM _____

I AM _____

I AM _____

PLAN TO BE BETTER THAN YESTERDAY

TO-DO LIST

- [ ] _____
- [ ] _____
- [ ] _____
- [ ] _____
- [ ] _____
- [ ] _____
- [ ] _____
- [ ] _____
- [ ] _____
- [ ] _____
- [ ] _____
- [ ] _____

NOTES:

_____

_____

_____

_____

_____

_____

_____

❄ ☁ 🌧 ☀

NIGHT

🎯 SMALL WINS

- ⬛― _____
- ⬛― _____
- ⬛― _____
- ⬛― _____
- ⬛― _____
- ⬛― _____
- ⬛― _____
- ⬛― _____
- ⬛― _____
- ⬛― _____
- ⬛― _____
- ⬛― _____

WHO I'M GRATEFUL FOR?

- _____
- _____
- _____
- _____
- _____

DID I ACCOMPLISH?

WORKOUT	YES	NO
WATER INTAKE	YES	NO
BEING MY BEST	YES	NO

GET DONE TOMORROW

WHAT KEPT ME GOING?

_____
_____
_____
_____
_____

MORNING

DAILY AFFIRMATIONS

I AM _____

I AM _____

I AM _____

I AM _____

I AM _____

PLAN TO BE BETTER THAN
YESTERDAY

TO-DO LIST

- ☐ _____
- ☐ _____
- ☐ _____
- ☐ _____
- ☐ _____
- ☐ _____
- ☐ _____
- ☐ _____
- ☐ _____
- ☐ _____
- ☐ _____
- ☐ _____

NOTES:

_____

_____

_____

_____

_____

_____

_____

_____

_____

❄ ☁ 🌧 ☀

NIGHT

🕐 SMALL WINS

- ||–|| _____
- ||–|| _____
- ||–|| _____
- ||–|| _____
- ||–|| _____
- ||–|| _____
- ||–|| _____
- ||–|| _____
- ||–|| _____
- ||–|| _____
- ||–|| _____
- ||–|| _____

WHO I'M GRATEFUL FOR?

- _____
- _____
- _____
- _____
- _____

DID I ACCOMPLISH?

WORKOUT	YES	NO
WATER INTAKE	YES	NO
BEING MY BEST	YES	NO

GET DONE TOMORROW

WHAT KEPT ME GOING?

_____
_____
_____
_____
_____

64

Weekly review

MY FAVORITE AFFIRMATIONS WERE:

I AM _____
I AM _____
I AM _____
I AM _____
I AM _____

MY FAVORITE SMALL WINS WERE:

🏋 _____
🏋 _____
🏋 _____
🏋 _____
🏋 _____

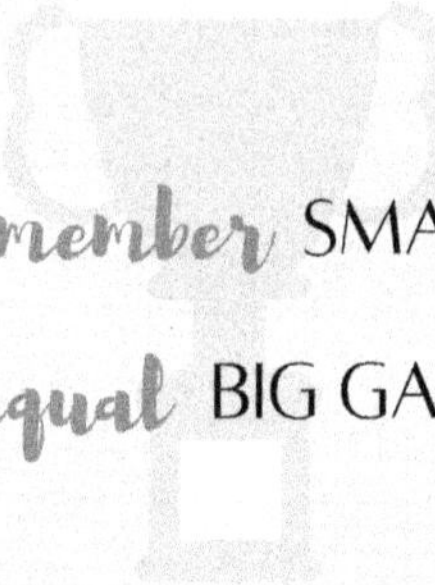

remember SMALL WINS

equal BIG GAINS

65

notes

MORNING

DAILY AFFIRMATIONS

I AM _____

I AM _____

I AM _____

I AM _____

I AM _____

PLAN TO BE BETTER THAN
YESTERDAY

TO-DO LIST

- [ ] _____
- [ ] _____
- [ ] _____
- [ ] _____
- [ ] _____
- [ ] _____
- [ ] _____
- [ ] _____
- [ ] _____
- [ ] _____
- [ ] _____
- [ ] _____

NOTES:

_____

_____

_____

_____

_____

_____

_____

_____

❄ ☁ 🌧 ☀

NIGHT

⌖ SMALL WINS

🏋 _____
🏋 _____
🏋 _____
🏋 _____
🏋 _____
🏋 _____
🏋 _____
🏋 _____
🏋 _____
🏋 _____
🏋 _____
🏋 _____

WHO I'M GRATEFUL FOR?

• _____
• _____
• _____
• _____
• _____

DID I ACCOMPLISH?

WORKOUT	YES	NO
WATER INTAKE	YES	NO
BEING MY BEST	YES	NO

GET DONE TOMORROW

WHAT KEPT ME GOING?

_____
_____
_____
_____
_____

MORNING

DAILY AFFIRMATIONS

I AM _____
I AM _____
I AM _____
I AM _____
I AM _____

PLAN TO BE BETTER THAN YESTERDAY

TO-DO LIST

- [ ] _____
- [ ] _____
- [ ] _____
- [ ] _____
- [ ] _____
- [ ] _____
- [ ] _____
- [ ] _____
- [ ] _____
- [ ] _____
- [ ] _____
- [ ] _____

NOTES:
_____
_____
_____
_____
_____
_____
_____
_____

NIGHT

✎ SMALL WINS

◖−◗ _____
◖−◗ _____
◖−◗ _____
◖−◗ _____
◖−◗ _____
◖−◗ _____
◖−◗ _____
◖−◗ _____
◖−◗ _____
◖−◗ _____
◖−◗ _____
◖−◗ _____

WHO I'M GRATEFUL FOR?

● _____
● _____
● _____
● _____
● _____

DID I ACCOMPLISH?

WORKOUT	YES	NO
WATER INTAKE	YES	NO
BEING MY BEST	YES	NO

GET DONE TOMORROW

WHAT KEPT ME GOING?

_____
_____
_____
_____
_____

MORNING

DAILY AFFIRMATIONS

I AM _____

I AM _____

I AM _____

I AM _____

I AM _____

PLAN TO BE BETTER THAN YESTERDAY

TO-DO LIST

- [ ] _____
- [ ] _____
- [ ] _____
- [ ] _____
- [ ] _____
- [ ] _____
- [ ] _____
- [ ] _____
- [ ] _____
- [ ] _____
- [ ] _____
- [ ] _____

NOTES:

_____

_____

_____

_____

_____

_____

_____

_____

NIGHT

SMALL WINS

- _____
- _____
- _____
- _____
- _____
- _____
- _____
- _____
- _____
- _____
- _____
- _____

WHO I'M GRATEFUL FOR?

- _____
- _____
- _____
- _____
- _____

DID I ACCOMPLISH?

WORKOUT	YES	NO
WATER INTAKE	YES	NO
BEING MY BEST	YES	NO

GET DONE TOMORROW

WHAT KEPT ME GOING?

_____

_____

_____

_____

_____

DATE: _____

S M T W T F S

MORNING

DAILY AFFIRMATIONS

I AM _____

I AM _____

I AM _____

I AM _____

I AM _____

PLAN TO BE BETTER THAN YESTERDAY

TO-DO LIST

- ☐ _____
- ☐ _____
- ☐ _____
- ☐ _____
- ☐ _____
- ☐ _____
- ☐ _____
- ☐ _____
- ☐ _____
- ☐ _____
- ☐ _____

NOTES:

_____
_____
_____
_____
_____
_____
_____
_____

NIGHT

⏱ SMALL WINS

🏋 _____
🏋 _____
🏋 _____
🏋 _____
🏋 _____
🏋 _____
🏋 _____
🏋 _____
🏋 _____
🏋 _____
🏋 _____
🏋 _____

WHO I'M GRATEFUL FOR?

• _____
• _____
• _____
• _____
• _____

DID I ACCOMPLISH?

WORKOUT	YES	NO
WATER INTAKE	YES	NO
BEING MY BEST	YES	NO

GET DONE TOMORROW

WHAT KEPT ME GOING?

_____
_____
_____
_____
_____

DATE: _____

S M T W T F S

MORNING

DAILY AFFIRMATIONS

I AM _____
I AM _____
I AM _____
I AM _____
I AM _____

```
PLAN TO BE BETTER THAN
      YESTERDAY




```

TO-DO LIST

- [ ] _____
- [ ] _____
- [ ] _____
- [ ] _____
- [ ] _____
- [ ] _____
- [ ] _____
- [ ] _____
- [ ] _____
- [ ] _____
- [ ] _____
- [ ] _____

NOTES:
_____
_____
_____
_____
_____
_____
_____
_____

75

NIGHT

🎯 SMALL WINS

- ———————————
- ———————————
- ———————————
- ———————————
- ———————————
- ———————————
- ———————————
- ———————————
- ———————————
- ———————————
- ———————————
- ———————————

WHO I'M GRATEFUL FOR?

- ———————————
- ———————————
- ———————————
- ———————————
- ———————————

DID I ACCOMPLISH?

WORKOUT	YES	NO
WATER INTAKE	YES	NO
BEING MY BEST	YES	NO

GET DONE TOMORROW

WHAT KEPT ME GOING?

———————————
———————————
———————————
———————————
———————————

DATE: _____

MORNING

DAILY AFFIRMATIONS

I AM _____

I AM _____

I AM _____

I AM _____

I AM _____

PLAN TO BE BETTER THAN
YESTERDAY

TO-DO LIST

☐ _____
☐ _____
☐ _____
☐ _____
☐ _____
☐ _____
☐ _____
☐ _____
☐ _____
☐ _____
☐ _____
☐ _____

NOTES:

_____

_____

_____

_____

_____

_____

_____

_____

77

NIGHT

🎯 SMALL WINS

- ⊪–⊪ _____
- ⊪–⊪ _____
- ⊪–⊪ _____
- ⊪–⊪ _____
- ⊪–⊪ _____
- ⊪–⊪ _____
- ⊪–⊪ _____
- ⊪–⊪ _____
- ⊪–⊪ _____
- ⊪–⊪ _____
- ⊪–⊪ _____
- ⊪–⊪ _____

WHO I'M GRATEFUL FOR?

- _____
- _____
- _____
- _____
- _____

DID I ACCOMPLISH?

WORKOUT	YES	NO
WATER INTAKE	YES	NO
BEING MY BEST	YES	NO

GET DONE TOMORROW

WHAT KEPT ME GOING?

_____
_____
_____
_____
_____

MORNING

DAILY AFFIRMATIONS

I AM _____

I AM _____

I AM _____

I AM _____

I AM _____

PLAN TO BE BETTER THAN
YESTERDAY

TO-DO LIST

- [ ] _____
- [ ] _____
- [ ] _____
- [ ] _____
- [ ] _____
- [ ] _____
- [ ] _____
- [ ] _____
- [ ] _____
- [ ] _____
- [ ] _____
- [ ] _____
- [ ] _____

NOTES:

_____

_____

_____

_____

_____

_____

_____

_____

NIGHT

⏱ SMALL WINS

⊩—⊩ _____
⊩—⊩ _____
⊩—⊩ _____
⊩—⊩ _____
⊩—⊩ _____
⊩—⊩ _____
⊩—⊩ _____
⊩—⊩ _____
⊩—⊩ _____
⊩—⊩ _____
⊩—⊩ _____
⊩—⊩ _____

WHO I'M GRATEFUL FOR?

● _____
● _____
● _____
● _____
● _____

DID I ACCOMPLISH?

WORKOUT	YES	NO
WATER INTAKE	YES	NO
BEING MY BEST	YES	NO

GET DONE TOMORROW

WHAT KEPT ME GOING?

_____
_____
_____
_____
_____

Weekly review

WEEK OF _____

MY FAVORITE AFFIRMATIONS WERE:

I AM _____

I AM _____

I AM _____

I AM _____

I AM _____

MY FAVORITE SMALL WINS WERE:

🏋 _____

🏋 _____

🏋 _____

🏋 _____

🏋 _____

remember SMALL WINS

equal BIG GAINS

notes

MORNING

DAILY AFFIRMATIONS

I AM _____

I AM _____

I AM _____

I AM _____

I AM _____

PLAN TO BE BETTER THAN
YESTERDAY

TO-DO LIST

☐ _____

☐ _____

☐ _____

☐ _____

☐ _____

☐ _____

☐ _____

☐ _____

☐ _____

☐ _____

☐ _____

☐ _____

NOTES:

_____

_____

_____

_____

_____

_____

_____

_____

NIGHT

🎯 SMALL WINS

- ⫶⫶ _____
- ⫶⫶ _____
- ⫶⫶ _____
- ⫶⫶ _____
- ⫶⫶ _____
- ⫶⫶ _____
- ⫶⫶ _____
- ⫶⫶ _____
- ⫶⫶ _____
- ⫶⫶ _____
- ⫶⫶ _____
- ⫶⫶ _____

WHO I'M GRATEFUL FOR?

- _____
- _____
- _____
- _____
- _____

DID I ACCOMPLISH?

WORKOUT	YES	NO
WATER INTAKE	YES	NO
BEING MY BEST	YES	NO

GET DONE TOMORROW

WHAT KEPT ME GOING?

_____
_____
_____
_____
_____

DATE: _____

MORNING

DAILY AFFIRMATIONS

I AM _____
I AM _____
I AM _____
I AM _____
I AM _____

PLAN TO BE BETTER THAN YESTERDAY

TO-DO LIST

- [ ] _____
- [ ] _____
- [ ] _____
- [ ] _____
- [ ] _____
- [ ] _____
- [ ] _____
- [ ] _____
- [ ] _____
- [ ] _____
- [ ] _____
- [ ] _____
- [ ] _____

NOTES:
_____
_____
_____
_____
_____
_____
_____
_____

NIGHT

✐ SMALL WINS

- ⬦–⬦ _____
- ⬦–⬦ _____
- ⬦–⬦ _____
- ⬦–⬦ _____
- ⬦–⬦ _____
- ⬦–⬦ _____
- ⬦–⬦ _____
- ⬦–⬦ _____
- ⬦–⬦ _____
- ⬦–⬦ _____
- ⬦–⬦ _____
- ⬦–⬦ _____

WHO I'M GRATEFUL FOR?

- _____
- _____
- _____
- _____
- _____

DID I ACCOMPLISH?

WORKOUT	YES	NO
WATER INTAKE	YES	NO
BEING MY BEST	YES	NO

GET DONE TOMORROW

WHAT KEPT ME GOING?

_____
_____
_____
_____
_____

MORNING

DAILY AFFIRMATIONS

I AM _____

I AM _____

I AM _____

I AM _____

I AM _____

PLAN TO BE BETTER THAN
YESTERDAY

TO-DO LIST

- [ ] _____
- [ ] _____
- [ ] _____
- [ ] _____
- [ ] _____
- [ ] _____
- [ ] _____
- [ ] _____
- [ ] _____
- [ ] _____
- [ ] _____
- [ ] _____

NOTES:

_____

_____

_____

_____

_____

_____

_____

_____

NIGHT

✎ SMALL WINS

⫶–⫶ _____
⫶–⫶ _____
⫶–⫶ _____
⫶–⫶ _____
⫶–⫶ _____
⫶–⫶ _____
⫶–⫶ _____
⫶–⫶ _____
⫶–⫶ _____
⫶–⫶ _____
⫶–⫶ _____
⫶–⫶ _____

WHO I'M GRATEFUL FOR?

● _____
● _____
● _____
● _____
● _____

DID I ACCOMPLISH?

WORKOUT	YES	NO
WATER INTAKE	YES	NO
BEING MY BEST	YES	NO

GET DONE TOMORROW

WHAT KEPT ME GOING?

_____
_____
_____
_____
_____

MORNING

DAILY AFFIRMATIONS

I AM _____

I AM _____

I AM _____

I AM _____

I AM _____

| PLAN TO BE BETTER THAN |
| YESTERDAY |

TO-DO LIST

- [ ] _____
- [ ] _____
- [ ] _____
- [ ] _____
- [ ] _____
- [ ] _____
- [ ] _____
- [ ] _____
- [ ] _____
- [ ] _____
- [ ] _____
- [ ] _____

NOTES:

_____

_____

_____

_____

_____

_____

_____

_____

❄ ☁ 🌧 ☀

NIGHT

⌖ SMALL WINS

- ⫶–⫶ _____
- ⫶–⫶ _____
- ⫶–⫶ _____
- ⫶–⫶ _____
- ⫶–⫶ _____
- ⫶–⫶ _____
- ⫶–⫶ _____
- ⫶–⫶ _____
- ⫶–⫶ _____
- ⫶–⫶ _____
- ⫶–⫶ _____
- ⫶–⫶ _____

WHO I'M GRATEFUL FOR?

- _____
- _____
- _____
- _____
- _____

DID I ACCOMPLISH?

WORKOUT	YES	NO
WATER INTAKE	YES	NO
BEING MY BEST	YES	NO

GET DONE TOMORROW

WHAT KEPT ME GOING?

_____
_____
_____
_____
_____

90

MORNING

DAILY AFFIRMATIONS

I AM _____

I AM _____

I AM _____

I AM _____

I AM _____

PLAN TO BE BETTER THAN
YESTERDAY

TO-DO LIST

- [ ] _____
- [ ] _____
- [ ] _____
- [ ] _____
- [ ] _____
- [ ] _____
- [ ] _____
- [ ] _____
- [ ] _____
- [ ] _____
- [ ] _____
- [ ] _____

NOTES:

91

❄ ☁ 🌧 ☼

NIGHT

🏹 SMALL WINS

- ⊣⊢ _____
- ⊣⊢ _____
- ⊣⊢ _____
- ⊣⊢ _____
- ⊣⊢ _____
- ⊣⊢ _____
- ⊣⊢ _____
- ⊣⊢ _____
- ⊣⊢ _____
- ⊣⊢ _____
- ⊣⊢ _____
- ⊣⊢ _____

WHO I'M GRATEFUL FOR?

- ● _____
- ● _____
- ● _____
- ● _____
- ● _____

DID I ACCOMPLISH?

WORKOUT	YES	NO
WATER INTAKE	YES	NO
BEING MY BEST	YES	NO

GET DONE TOMORROW

WHAT KEPT ME GOING?

_____
_____
_____
_____
_____

MORNING

DAILY AFFIRMATIONS

I AM _____

I AM _____

I AM _____

I AM _____

I AM _____

PLAN TO BE BETTER THAN
YESTERDAY

TO-DO LIST

- [ ] _____
- [ ] _____
- [ ] _____
- [ ] _____
- [ ] _____
- [ ] _____
- [ ] _____
- [ ] _____
- [ ] _____
- [ ] _____
- [ ] _____
- [ ] _____

NOTES:

_____

_____

_____

_____

_____

_____

_____

_____

NIGHT

✐ SMALL WINS

- 🏋 _____
- 🏋 _____
- 🏋 _____
- 🏋 _____
- 🏋 _____
- 🏋 _____
- 🏋 _____
- 🏋 _____
- 🏋 _____
- 🏋 _____
- 🏋 _____
- 🏋 _____

WHO I'M GRATEFUL FOR?

- _____
- _____
- _____
- _____
- _____

DID I ACCOMPLISH?

WORKOUT	YES	NO
WATER INTAKE	YES	NO
BEING MY BEST	YES	NO

GET DONE TOMORROW

WHAT KEPT ME GOING?

_____
_____
_____
_____
_____

DATE: _____

S M T W T F S

MORNING

DAILY AFFIRMATIONS

I AM _____

I AM _____

I AM _____

I AM _____

I AM _____

TO-DO LIST

- [ ] _____
- [ ] _____
- [ ] _____
- [ ] _____
- [ ] _____
- [ ] _____
- [ ] _____
- [ ] _____
- [ ] _____
- [ ] _____
- [ ] _____
- [ ] _____

PLAN TO BE BETTER THAN
YESTERDAY

NOTES:

_____

_____

_____

_____

_____

_____

_____

_____

95

NIGHT

⏱ SMALL WINS

⊩–⊩ _____
⊩–⊩ _____
⊩–⊩ _____
⊩–⊩ _____
⊩–⊩ _____
⊩–⊩ _____
⊩–⊩ _____
⊩–⊩ _____
⊩–⊩ _____
⊩–⊩ _____
⊩–⊩ _____
⊩–⊩ _____

WHO I'M GRATEFUL FOR?

• _____
• _____
• _____
• _____
• _____

DID I ACCOMPLISH?

WORKOUT	YES	NO
WATER INTAKE	YES	NO
BEING MY BEST	YES	NO

GET DONE TOMORROW

WHAT KEPT ME GOING?

_____
_____
_____
_____
_____

Weekly review

MY FAVORITE AFFIRMATIONS WERE:

I AM _____

I AM _____

I AM _____

I AM _____

I AM _____

MY FAVORITE SMALL WINS WERE:

⫟ _____

⫟ _____

⫟ _____

⫟ _____

⫟ _____

remember SMALL WINS

equal BIG GAINS

notes

DATE: _____

S M T W T F S

MORNING

DAILY AFFIRMATIONS

I AM _____
I AM _____
I AM _____
I AM _____
I AM _____

```
PLAN TO BE BETTER THAN
        YESTERDAY
```

TO-DO LIST

- [ ] _____
- [ ] _____
- [ ] _____
- [ ] _____
- [ ] _____
- [ ] _____
- [ ] _____
- [ ] _____
- [ ] _____
- [ ] _____
- [ ] _____
- [ ] _____
- [ ] _____

NOTES:
_____
_____
_____
_____
_____
_____
_____
_____
_____

99

❄ ☁ 🌧 ☀

NIGHT

SMALL WINS

‖-‖ _____
‖-‖ _____
‖-‖ _____
‖-‖ _____
‖-‖ _____
‖-‖ _____
‖-‖ _____
‖-‖ _____
‖-‖ _____
‖-‖ _____
‖-‖ _____
‖-‖ _____

WHO I'M GRATEFUL FOR?

● _____
● _____
● _____
● _____
● _____

DID I ACCOMPLISH?

WORKOUT   YES   NO

WATER INTAKE   YES   NO

BEING MY BEST   YES   NO

GET DONE TOMORROW

WHAT KEPT ME GOING?

_____
_____
_____
_____
_____

MORNING

DAILY AFFIRMATIONS

I AM _____

I AM _____

I AM _____

I AM _____

I AM _____

| PLAN TO BE BETTER THAN |
| YESTERDAY |

TO-DO LIST

- [ ] _____
- [ ] _____
- [ ] _____
- [ ] _____
- [ ] _____
- [ ] _____
- [ ] _____
- [ ] _____
- [ ] _____
- [ ] _____
- [ ] _____
- [ ] _____

NOTES:

_____

_____

_____

_____

_____

_____

_____

_____

NIGHT

✐ SMALL WINS

- ⊪⊪ _____
- ⊪⊪ _____
- ⊪⊪ _____
- ⊪⊪ _____
- ⊪⊪ _____
- ⊪⊪ _____
- ⊪⊪ _____
- ⊪⊪ _____
- ⊪⊪ _____
- ⊪⊪ _____
- ⊪⊪ _____
- ⊪⊪ _____

WHO I'M GRATEFUL FOR?

- _____
- _____
- _____
- _____
- _____

DID I ACCOMPLISH?

WORKOUT	YES	NO
WATER INTAKE	YES	NO
BEING MY BEST	YES	NO

GET DONE TOMORROW

WHAT KEPT ME GOING?

_____
_____
_____
_____
_____

MORNING

DAILY AFFIRMATIONS

I AM _____

I AM _____

I AM _____

I AM _____

I AM _____

PLAN TO BE BETTER THAN
YESTERDAY

TO-DO LIST

- [ ] _____
- [ ] _____
- [ ] _____
- [ ] _____
- [ ] _____
- [ ] _____
- [ ] _____
- [ ] _____
- [ ] _____
- [ ] _____
- [ ] _____
- [ ] _____

NOTES:

_____

_____

_____

_____

_____

_____

_____

_____

NIGHT

SMALL WINS

⫶—⫶ _____
⫶—⫶ _____
⫶—⫶ _____
⫶—⫶ _____
⫶—⫶ _____
⫶—⫶ _____
⫶—⫶ _____
⫶—⫶ _____
⫶—⫶ _____
⫶—⫶ _____
⫶—⫶ _____
⫶—⫶ _____

WHO I'M GRATEFUL FOR?

• _____
• _____
• _____
• _____
• _____

DID I ACCOMPLISH?

WORKOUT	YES	NO
WATER INTAKE	YES	NO
BEING MY BEST	YES	NO

GET DONE TOMORROW

WHAT KEPT ME GOING?

_____
_____
_____
_____
_____

MORNING

DAILY AFFIRMATIONS

I AM _____
I AM _____
I AM _____
I AM _____
I AM _____

| PLAN TO BE BETTER THAN |
| YESTERDAY |

TO-DO LIST

☐ _____
☐ _____
☐ _____
☐ _____
☐ _____
☐ _____
☐ _____
☐ _____
☐ _____
☐ _____
☐ _____

NOTES:
_____
_____
_____
_____
_____
_____
_____
_____

NIGHT

✏ SMALL WINS

- 🏋 _____
- 🏋 _____
- 🏋 _____
- 🏋 _____
- 🏋 _____
- 🏋 _____
- 🏋 _____
- 🏋 _____
- 🏋 _____
- 🏋 _____
- 🏋 _____
- 🏋 _____

WHO I'M GRATEFUL FOR?

- _____
- _____
- _____
- _____
- _____

DID I ACCOMPLISH?

WORKOUT	YES	NO
WATER INTAKE	YES	NO
BEING MY BEST	YES	NO

GET DONE TOMORROW

WHAT KEPT ME GOING?

_____
_____
_____
_____
_____

MORNING

DAILY AFFIRMATIONS

I AM _____

I AM _____

I AM _____

I AM _____

I AM _____

PLAN TO BE BETTER THAN YESTERDAY

TO-DO LIST

- [ ] _____
- [ ] _____
- [ ] _____
- [ ] _____
- [ ] _____
- [ ] _____
- [ ] _____
- [ ] _____
- [ ] _____
- [ ] _____
- [ ] _____
- [ ] _____

NOTES:

_____

_____

_____

_____

_____

_____

_____

_____

NIGHT

🎯 SMALL WINS

- 🏋 _____
- 🏋 _____
- 🏋 _____
- 🏋 _____
- 🏋 _____
- 🏋 _____
- 🏋 _____
- 🏋 _____
- 🏋 _____
- 🏋 _____
- 🏋 _____
- 🏋 _____

WHO I'M GRATEFUL FOR?

- _____
- _____
- _____
- _____
- _____

DID I ACCOMPLISH?

WORKOUT	YES	NO
WATER INTAKE	YES	NO
BEING MY BEST	YES	NO

GET DONE TOMORROW

WHAT KEPT ME GOING?

_____
_____
_____
_____
_____

DATE: _____

MORNING

DAILY AFFIRMATIONS

I AM _____

I AM _____

I AM _____

I AM _____

I AM _____

TO-DO LIST

- [ ] _____
- [ ] _____
- [ ] _____
- [ ] _____
- [ ] _____
- [ ] _____
- [ ] _____
- [ ] _____
- [ ] _____
- [ ] _____
- [ ] _____
- [ ] _____

PLAN TO BE BETTER THAN YESTERDAY

NOTES:

_____

_____

_____

_____

_____

_____

_____

_____

NIGHT

SMALL WINS

⊪—⊪ _____
⊪—⊪ _____
⊪—⊪ _____
⊪—⊪ _____
⊪—⊪ _____
⊪—⊪ _____
⊪—⊪ _____
⊪—⊪ _____
⊪—⊪ _____
⊪—⊪ _____
⊪—⊪ _____
⊪—⊪ _____

WHO I'M GRATEFUL FOR?

● _____
● _____
● _____
● _____
● _____

DID I ACCOMPLISH?

WORKOUT   YES   NO

WATER INTAKE   YES   NO

BEING MY BEST   YES   NO

GET DONE TOMORROW

WHAT KEPT ME GOING?

_____
_____
_____
_____
_____

DATE: _____

S M T W T F S

MORNING

DAILY AFFIRMATIONS

I AM _____
I AM _____
I AM _____
I AM _____
I AM _____

TO-DO LIST

- [ ] _____
- [ ] _____
- [ ] _____
- [ ] _____
- [ ] _____
- [ ] _____
- [ ] _____
- [ ] _____
- [ ] _____
- [ ] _____
- [ ] _____
- [ ] _____

PLAN TO BE BETTER THAN
YESTERDAY

NOTES:

_____
_____
_____
_____
_____
_____
_____
_____

NIGHT

✎ SMALL WINS

-
-
-
-
-
-
-
-
-
-
-
-

WHO I'M GRATEFUL FOR?

-
-
-
-
-

DID I ACCOMPLISH?

WORKOUT	YES	NO
WATER INTAKE	YES	NO
BEING MY BEST	YES	NO

GET DONE TOMORROW

WHAT KEPT ME GOING?

Weekly review

MY FAVORITE AFFIRMATIONS WERE:

I AM _____

I AM _____

I AM _____

I AM _____

I AM _____

MY FAVORITE SMALL WINS WERE:

 _____

 _____

 _____

 _____

 _____

remember SMALL WINS

equal BIG GAINS

notes

MORNING

DAILY AFFIRMATIONS

I AM _____

I AM _____

I AM _____

I AM _____

I AM _____

PLAN TO BE BETTER THAN YESTERDAY

TO-DO LIST

- [ ] _____
- [ ] _____
- [ ] _____
- [ ] _____
- [ ] _____
- [ ] _____
- [ ] _____
- [ ] _____
- [ ] _____
- [ ] _____
- [ ] _____
- [ ] _____

NOTES:

_____

_____

_____

_____

_____

_____

_____

_____

NIGHT

🕐 SMALL WINS

⫶⫸ _____
⫶⫸ _____
⫶⫸ _____
⫶⫸ _____
⫶⫸ _____
⫶⫸ _____
⫶⫸ _____
⫶⫸ _____
⫶⫸ _____
⫶⫸ _____
⫶⫸ _____
⫶⫸ _____

WHO I'M GRATEFUL FOR?

● _____
● _____
● _____
● _____
● _____

DID I ACCOMPLISH?

WORKOUT	YES	NO
WATER INTAKE	YES	NO
BEING MY BEST	YES	NO

GET DONE TOMORROW

WHAT KEPT ME GOING?

_____
_____
_____
_____
_____

MORNING

DAILY AFFIRMATIONS

I AM _____

I AM _____

I AM _____

I AM _____

I AM _____

PLAN TO BE BETTER THAN
YESTERDAY

TO-DO LIST

- [ ] _____
- [ ] _____
- [ ] _____
- [ ] _____
- [ ] _____
- [ ] _____
- [ ] _____
- [ ] _____
- [ ] _____
- [ ] _____
- [ ] _____
- [ ] _____

NOTES:
_____
_____
_____
_____
_____
_____
_____
_____

❄ ☁ 🌧 ☀

NIGHT

🎯 SMALL WINS

- ⫶ _____
- ⫶ _____
- ⫶ _____
- ⫶ _____
- ⫶ _____
- ⫶ _____
- ⫶ _____
- ⫶ _____
- ⫶ _____
- ⫶ _____
- ⫶ _____
- ⫶ _____

WHO I'M GRATEFUL FOR?

- _____
- _____
- _____
- _____
- _____

DID I ACCOMPLISH?

WORKOUT	YES	NO
WATER INTAKE	YES	NO
BEING MY BEST	YES	NO

GET DONE TOMORROW

WHAT KEPT ME GOING?

_____
_____
_____
_____
_____

DATE: _____

MORNING

DAILY AFFIRMATIONS

I AM _____

I AM _____

I AM _____

I AM _____

I AM _____

PLAN TO BE BETTER THAN
YESTERDAY

TO-DO LIST

- ☐ _____
- ☐ _____
- ☐ _____
- ☐ _____
- ☐ _____
- ☐ _____
- ☐ _____
- ☐ _____
- ☐ _____
- ☐ _____
- ☐ _____
- ☐ _____

NOTES:

_____

_____

_____

_____

_____

_____

_____

_____

NIGHT

SMALL WINS

- ⫘ _____
- ⫘ _____
- ⫘ _____
- ⫘ _____
- ⫘ _____
- ⫘ _____
- ⫘ _____
- ⫘ _____
- ⫘ _____
- ⫘ _____
- ⫘ _____
- ⫘ _____

WHO I'M GRATEFUL FOR?

- _____
- _____
- _____
- _____
- _____

DID I ACCOMPLISH?

WORKOUT	YES	NO
WATER INTAKE	YES	NO
BEING MY BEST	YES	NO

GET DONE TOMORROW

WHAT KEPT ME GOING?

_____
_____
_____
_____
_____

DATE: _____

S M T W T F S

MORNING

DAILY AFFIRMATIONS

I AM _____

I AM _____

I AM _____

I AM _____

I AM _____

PLAN TO BE BETTER THAN YESTERDAY

TO-DO LIST

- [ ] _____
- [ ] _____
- [ ] _____
- [ ] _____
- [ ] _____
- [ ] _____
- [ ] _____
- [ ] _____
- [ ] _____
- [ ] _____
- [ ] _____

NOTES:
_____
_____
_____
_____
_____
_____
_____

121

NIGHT

✎ SMALL WINS

- ▮—▮ _____
- ▮—▮ _____
- ▮—▮ _____
- ▮—▮ _____
- ▮—▮ _____
- ▮—▮ _____
- ▮—▮ _____
- ▮—▮ _____
- ▮—▮ _____
- ▮—▮ _____
- ▮—▮ _____
- ▮—▮ _____

WHO I'M GRATEFUL FOR?

- _____
- _____
- _____
- _____
- _____

DID I ACCOMPLISH?

WORKOUT	YES	NO
WATER INTAKE	YES	NO
BEING MY BEST	YES	NO

GET DONE TOMORROW

WHAT KEPT ME GOING?

_____
_____
_____
_____
_____

MORNING

DAILY AFFIRMATIONS

I AM _____

I AM _____

I AM _____

I AM _____

I AM _____

TO-DO LIST

- [ ] _____
- [ ] _____
- [ ] _____
- [ ] _____
- [ ] _____
- [ ] _____
- [ ] _____
- [ ] _____
- [ ] _____
- [ ] _____
- [ ] _____
- [ ] _____

PLAN TO BE BETTER THAN
YESTERDAY

NOTES:

_____

_____

_____

_____

_____

_____

_____

_____

NIGHT

🏹 SMALL WINS

⫘ _____
⫘ _____
⫘ _____
⫘ _____
⫘ _____
⫘ _____
⫘ _____
⫘ _____
⫘ _____
⫘ _____
⫘ _____
⫘ _____

WHO I'M GRATEFUL FOR?

- _____
- _____
- _____
- _____
- _____

DID I ACCOMPLISH?

WORKOUT	YES	NO
WATER INTAKE	YES	NO
BEING MY BEST	YES	NO

GET DONE TOMORROW

WHAT KEPT ME GOING?

_____
_____
_____
_____
_____

MORNING

DAILY AFFIRMATIONS

I AM _____

I AM _____

I AM _____

I AM _____

I AM _____

PLAN TO BE BETTER THAN YESTERDAY

TO-DO LIST

- [ ] _____
- [ ] _____
- [ ] _____
- [ ] _____
- [ ] _____
- [ ] _____
- [ ] _____
- [ ] _____
- [ ] _____
- [ ] _____
- [ ] _____

NOTES:

_____

_____

_____

_____

_____

_____

_____

_____

NIGHT

SMALL WINS

- _____
- _____
- _____
- _____
- _____
- _____
- _____
- _____
- _____
- _____
- _____
- _____

WHO I'M GRATEFUL FOR?

- _____
- _____
- _____
- _____
- _____

DID I ACCOMPLISH?

WORKOUT	YES	NO
WATER INTAKE	YES	NO
BEING MY BEST	YES	NO

GET DONE TOMORROW

WHAT KEPT ME GOING?

_____
_____
_____
_____
_____

DATE: ------------------

MORNING

DAILY AFFIRMATIONS

I AM _____

I AM _____

I AM _____

I AM _____

I AM _____

```
┌─────────────────────────────┐
│                             │
│   PLAN TO BE BETTER THAN    │
│         YESTERDAY           │
│                             │
│                             │
│                             │
│                             │
│                             │
│                             │
└─────────────────────────────┘
```

TO-DO LIST

☐ _____

☐ _____

☐ _____

☐ _____

☐ _____

☐ _____

☐ _____

☐ _____

☐ _____

☐ _____

☐ _____

☐ _____

NOTES:

_____

_____

_____

_____

_____

_____

_____

_____

❄ ☁ 🌧 ☀

NIGHT

🎯 SMALL WINS

- ┨━┠ _____
- ┨━┠ _____
- ┨━┠ _____
- ┨━┠ _____
- ┨━┠ _____
- ┨━┠ _____
- ┨━┠ _____
- ┨━┠ _____
- ┨━┠ _____
- ┨━┠ _____
- ┨━┠ _____
- ┨━┠ _____

WHO I'M GRATEFUL FOR?

- _____
- _____
- _____
- _____
- _____

DID I ACCOMPLISH?

WORKOUT	YES	NO
WATER INTAKE	YES	NO
BEING MY BEST	YES	NO

GET DONE TOMORROW

WHAT KEPT ME GOING?

_____
_____
_____
_____
_____

128

Weekly review

MY FAVORITE AFFIRMATIONS WERE:

I AM _____

I AM _____

I AM _____

I AM _____

I AM _____

MY FAVORITE SMALL WINS WERE:

- _____
- _____
- _____
- _____
- _____

remember SMALL WINS

equal BIG GAINS

notes

DATE: _____

S M T W T F S

MORNING

DAILY AFFIRMATIONS

I AM _____
I AM _____
I AM _____
I AM _____
I AM _____

PLAN TO BE BETTER THAN
YESTERDAY

TO-DO LIST

☐ _____
☐ _____
☐ _____
☐ _____
☐ _____
☐ _____
☐ _____
☐ _____
☐ _____
☐ _____
☐ _____

NOTES:
_____
_____
_____
_____
_____
_____
_____
_____

☀ ☁ ☂ ☼

NIGHT

🎯 SMALL WINS

- ⇥ _____
- ⇥ _____
- ⇥ _____
- ⇥ _____
- ⇥ _____
- ⇥ _____
- ⇥ _____
- ⇥ _____
- ⇥ _____
- ⇥ _____
- ⇥ _____
- ⇥ _____

WHO I'M GRATEFUL FOR?

- • _____
- • _____
- • _____
- • _____
- • _____

DID I ACCOMPLISH?

WORKOUT	YES	NO
WATER INTAKE	YES	NO
BEING MY BEST	YES	NO

GET DONE TOMORROW

WHAT KEPT ME GOING?

_____
_____
_____
_____
_____

MORNING

DAILY AFFIRMATIONS

I AM _____

I AM _____

I AM _____

I AM _____

I AM _____

PLAN TO BE BETTER THAN YESTERDAY

TO-DO LIST

- ☐ _____
- ☐ _____
- ☐ _____
- ☐ _____
- ☐ _____
- ☐ _____
- ☐ _____
- ☐ _____
- ☐ _____
- ☐ _____
- ☐ _____
- ☐ _____
- ☐ _____

NOTES:

_____

_____

_____

_____

_____

_____

_____

_____

❄ ☁ 🌧 ☀

NIGHT

✏ SMALL WINS

🏋 _____
🏋 _____
🏋 _____
🏋 _____
🏋 _____
🏋 _____
🏋 _____
🏋 _____
🏋 _____
🏋 _____
🏋 _____
🏋 _____

WHO I'M GRATEFUL FOR?

● _____
● _____
● _____
● _____
● _____

DID I ACCOMPLISH?

WORKOUT	YES	NO
WATER INTAKE	YES	NO
BEING MY BEST	YES	NO

GET DONE TOMORROW

WHAT KEPT ME GOING?

_____
_____
_____
_____
_____

MORNING

DAILY AFFIRMATIONS

I AM _____

I AM _____

I AM _____

I AM _____

I AM _____

PLAN TO BE BETTER THAN
YESTERDAY

TO-DO LIST

- [ ] _____
- [ ] _____
- [ ] _____
- [ ] _____
- [ ] _____
- [ ] _____
- [ ] _____
- [ ] _____
- [ ] _____
- [ ] _____
- [ ] _____

NOTES:

_____

_____

_____

_____

_____

_____

_____

_____

NIGHT

🏋 SMALL WINS

‖—‖ —————————————————
‖—‖ —————————————————
‖—‖ —————————————————
‖—‖ —————————————————
‖—‖ —————————————————
‖—‖ —————————————————
‖—‖ —————————————————
‖—‖ —————————————————
‖—‖ —————————————————
‖—‖ —————————————————
‖—‖ —————————————————
‖—‖ —————————————————

WHO I'M GRATEFUL FOR?

● —————————————————
● —————————————————
● —————————————————
● —————————————————
● —————————————————

DID I ACCOMPLISH?

WORKOUT	YES	NO
WATER INTAKE	YES	NO
BEING MY BEST	YES	NO

GET DONE TOMORROW

WHAT KEPT ME GOING?

—————————————————
—————————————————
—————————————————
—————————————————
—————————————————

DATE: _____

MORNING

DAILY AFFIRMATIONS

I AM _____
I AM _____
I AM _____
I AM _____
I AM _____

```
PLAN TO BE BETTER THAN
        YESTERDAY



```

TO-DO LIST

- ☐ _____
- ☐ _____
- ☐ _____
- ☐ _____
- ☐ _____
- ☐ _____
- ☐ _____
- ☐ _____
- ☐ _____
- ☐ _____
- ☐ _____
- ☐ _____

NOTES:
_____
_____
_____
_____
_____
_____
_____
_____

NIGHT

❄ ☁ 🌧 ☀

🎯 SMALL WINS

⠅-⠅ _____
⠅-⠅ _____
⠅-⠅ _____
⠅-⠅ _____
⠅-⠅ _____
⠅-⠅ _____
⠅-⠅ _____
⠅-⠅ _____
⠅-⠅ _____
⠅-⠅ _____
⠅-⠅ _____
⠅-⠅ _____

WHO I'M GRATEFUL FOR?

● _____
● _____
● _____
● _____
● _____

DID I ACCOMPLISH?

WORKOUT	YES	NO
WATER INTAKE	YES	NO
BEING MY BEST	YES	NO

GET DONE TOMORROW

WHAT KEPT ME GOING?

_____
_____
_____
_____
_____

DATE: _____

MORNING

DAILY AFFIRMATIONS

I AM _____
I AM _____
I AM _____
I AM _____
I AM _____

PLAN TO BE BETTER THAN
YESTERDAY

TO-DO LIST

- [ ] _____
- [ ] _____
- [ ] _____
- [ ] _____
- [ ] _____
- [ ] _____
- [ ] _____
- [ ] _____
- [ ] _____
- [ ] _____
- [ ] _____
- [ ] _____

NOTES:

_____
_____
_____
_____
_____
_____
_____
_____

❄ ☁ 🌧 ☼

NIGHT

SMALL WINS

⇼ _____
⇼ _____
⇼ _____
⇼ _____
⇼ _____
⇼ _____
⇼ _____
⇼ _____
⇼ _____
⇼ _____
⇼ _____
⇼ _____

WHO I'M GRATEFUL FOR?

• _____
• _____
• _____
• _____
• _____

DID I ACCOMPLISH?

WORKOUT	YES	NO
WATER INTAKE	YES	NO
BEING MY BEST	YES	NO

GET DONE TOMORROW

WHAT KEPT ME GOING?

_____
_____
_____
_____
_____

MORNING

DAILY AFFIRMATIONS

I AM _____

I AM _____

I AM _____

I AM _____

I AM _____

PLAN TO BE BETTER THAN
YESTERDAY

TO-DO LIST

☐ _____

☐ _____

☐ _____

☐ _____

☐ _____

☐ _____

☐ _____

☐ _____

☐ _____

☐ _____

☐ _____

☐ _____

NOTES:

_____

_____

_____

_____

_____

_____

_____

_____

NIGHT

🎯 SMALL WINS

- ⫸ _____
- ⫸ _____
- ⫸ _____
- ⫸ _____
- ⫸ _____
- ⫸ _____
- ⫸ _____
- ⫸ _____
- ⫸ _____
- ⫸ _____
- ⫸ _____
- ⫸ _____

WHO I'M GRATEFUL FOR?

- _____
- _____
- _____
- _____
- _____

DID I ACCOMPLISH?

WORKOUT	YES	NO
WATER INTAKE	YES	NO
BEING MY BEST	YES	NO

GET DONE TOMORROW

WHAT KEPT ME GOING?

_____
_____
_____
_____
_____

MORNING

DAILY AFFIRMATIONS

I AM _____

I AM _____

I AM _____

I AM _____

I AM _____

PLAN TO BE BETTER THAN
YESTERDAY

TO-DO LIST

☐ _____

☐ _____

☐ _____

☐ _____

☐ _____

☐ _____

☐ _____

☐ _____

☐ _____

☐ _____

☐ _____

☐ _____

☐ _____

NOTES:

_____

_____

_____

_____

_____

_____

_____

_____

_____

NIGHT

SMALL WINS

- _____
- _____
- _____
- _____
- _____
- _____
- _____
- _____
- _____
- _____
- _____
- _____

WHO I'M GRATEFUL FOR?

- _____
- _____
- _____
- _____
- _____

DID I ACCOMPLISH?

WORKOUT	YES	NO
WATER INTAKE	YES	NO
BEING MY BEST	YES	NO

GET DONE TOMORROW

WHAT KEPT ME GOING?

Weekly review

MY FAVORITE AFFIRMATIONS WERE:

I AM _____

I AM _____

I AM _____

I AM _____

I AM _____

MY FAVORITE SMALL WINS WERE:

🏋 _____

🏋 _____

🏋 _____

🏋 _____

🏋 _____

remember SMALL WINS

equal BIG GAINS

notes

146

MORNING

DAILY AFFIRMATIONS

I AM _____
I AM _____
I AM _____
I AM _____
I AM _____

PLAN TO BE BETTER THAN YESTERDAY

TO-DO LIST

- [ ] _____
- [ ] _____
- [ ] _____
- [ ] _____
- [ ] _____
- [ ] _____
- [ ] _____
- [ ] _____
- [ ] _____
- [ ] _____
- [ ] _____
- [ ] _____

NOTES:
_____
_____
_____
_____
_____
_____
_____
_____

NIGHT

🎯 SMALL WINS

⇥ ————————————
⇥ ————————————
⇥ ————————————
⇥ ————————————
⇥ ————————————
⇥ ————————————
⇥ ————————————
⇥ ————————————
⇥ ————————————
⇥ ————————————
⇥ ————————————
⇥ ————————————

WHO I'M GRATEFUL FOR?

● ————————————
● ————————————
● ————————————
● ————————————
● ————————————

DID I ACCOMPLISH?

WORKOUT	YES	NO
WATER INTAKE	YES	NO
BEING MY BEST	YES	NO

GET DONE TOMORROW

WHAT KEPT ME GOING?

————————————
————————————
————————————
————————————
————————————

MORNING

DAILY AFFIRMATIONS   TO-DO LIST

I AM _____   ☐ _____
I AM _____   ☐ _____
I AM _____   ☐ _____
I AM _____   ☐ _____
I AM _____   ☐ _____
                                    ☐ _____
┌──────────────────────────┐   ☐ _____
│   PLAN TO BE BETTER THAN │   ☐ _____
│   YESTERDAY   │   ☐ _____
│   │   ☐ _____
│   │   ☐ _____
│   │   ☐ _____
│   │   ☐ _____
│   │
└──────────────────────────┘

NOTES:
_____
_____
_____
_____
_____
_____
_____
_____

�winter ☁ 🌧 ☀

NIGHT

🏋 SMALL WINS

🏋 _____
🏋 _____
🏋 _____
🏋 _____
🏋 _____
🏋 _____
🏋 _____
🏋 _____
🏋 _____
🏋 _____
🏋 _____
🏋 _____

WHO I'M GRATEFUL FOR?

• _____
• _____
• _____
• _____
• _____

DID I ACCOMPLISH?

WORKOUT	YES	NO
WATER INTAKE	YES	NO
BEING MY BEST	YES	NO

GET DONE TOMORROW

WHAT KEPT ME GOING?

_____
_____
_____
_____
_____

MORNING

DAILY AFFIRMATIONS

I AM _____

I AM _____

I AM _____

I AM _____

I AM _____

PLAN TO BE BETTER THAN YESTERDAY

TO-DO LIST

- [ ] _____
- [ ] _____
- [ ] _____
- [ ] _____
- [ ] _____
- [ ] _____
- [ ] _____
- [ ] _____
- [ ] _____
- [ ] _____
- [ ] _____
- [ ] _____
- [ ] _____

NOTES:

_____

_____

_____

_____

_____

_____

_____

_____

❄ ☁ 🌧 ☀

NIGHT

⌖ SMALL WINS

╫─╫ _____
╫─╫ _____
╫─╫ _____
╫─╫ _____
╫─╫ _____
╫─╫ _____
╫─╫ _____
╫─╫ _____
╫─╫ _____
╫─╫ _____
╫─╫ _____
╫─╫ _____

WHO I'M GRATEFUL FOR?

● _____
● _____
● _____
● _____
● _____

DID I ACCOMPLISH?

WORKOUT	YES	NO
WATER INTAKE	YES	NO
BEING MY BEST	YES	NO

GET DONE TOMORROW

WHAT KEPT ME GOING?

_____
_____
_____
_____
_____

DATE: ------------------

MORNING

DAILY AFFIRMATIONS

I AM _____

I AM _____

I AM _____

I AM _____

I AM _____

PLAN TO BE BETTER THAN
YESTERDAY

TO-DO LIST

- ☐ _____
- ☐ _____
- ☐ _____
- ☐ _____
- ☐ _____
- ☐ _____
- ☐ _____
- ☐ _____
- ☐ _____
- ☐ _____
- ☐ _____
- ☐ _____

NOTES:

_____

_____

_____

_____

_____

_____

_____

_____

NIGHT

🎯 SMALL WINS

- ᵈ—ᵇ _____
- ᵈ—ᵇ _____
- ᵈ—ᵇ _____
- ᵈ—ᵇ _____
- ᵈ—ᵇ _____
- ᵈ—ᵇ _____
- ᵈ—ᵇ _____
- ᵈ—ᵇ _____
- ᵈ—ᵇ _____
- ᵈ—ᵇ _____
- ᵈ—ᵇ _____
- ᵈ—ᵇ _____

WHO I'M GRATEFUL FOR?

- _____
- _____
- _____
- _____
- _____

DID I ACCOMPLISH?

WORKOUT	YES	NO
WATER INTAKE	YES	NO
BEING MY BEST	YES	NO

GET DONE TOMORROW

WHAT KEPT ME GOING?

_____
_____
_____
_____
_____

MORNING

DAILY AFFIRMATIONS

I AM _____

I AM _____

I AM _____

I AM _____

I AM _____

> ### PLAN TO BE BETTER THAN YESTERDAY

TO-DO LIST

- [ ] _____
- [ ] _____
- [ ] _____
- [ ] _____
- [ ] _____
- [ ] _____
- [ ] _____
- [ ] _____
- [ ] _____
- [ ] _____
- [ ] _____
- [ ] _____
- [ ] _____

NOTES:

_____

_____

_____

_____

_____

_____

_____

_____

_____

❄ ☁ 🌧 ☀

NIGHT

⌖ SMALL WINS

◖—◗ _____
◖—◗ _____
◖—◗ _____
◖—◗ _____
◖—◗ _____
◖—◗ _____
◖—◗ _____
◖—◗ _____
◖—◗ _____
◖—◗ _____
◖—◗ _____
◖—◗ _____

WHO I'M GRATEFUL FOR?

• _____
• _____
• _____
• _____
• _____

DID I ACCOMPLISH?

WORKOUT   YES   NO

WATER INTAKE   YES   NO

BEING MY BEST   YES   NO

GET DONE TOMORROW

WHAT KEPT ME GOING?

_____
_____
_____
_____
_____

MORNING

DAILY AFFIRMATIONS

I AM _____

I AM _____

I AM _____

I AM _____

I AM _____

PLAN TO BE BETTER THAN YESTERDAY

TO-DO LIST

- ☐ _____
- ☐ _____
- ☐ _____
- ☐ _____
- ☐ _____
- ☐ _____
- ☐ _____
- ☐ _____
- ☐ _____
- ☐ _____
- ☐ _____
- ☐ _____
- ☐ _____

NOTES:

_____

_____

_____

_____

_____

_____

_____

_____

❄ ☁ 🌧 ☀

NIGHT

🎯 SMALL WINS

- ⫸ _____
- ⫸ _____
- ⫸ _____
- ⫸ _____
- ⫸ _____
- ⫸ _____
- ⫸ _____
- ⫸ _____
- ⫸ _____
- ⫸ _____
- ⫸ _____
- ⫸ _____

WHO I'M GRATEFUL FOR?

- _____
- _____
- _____
- _____
- _____

DID I ACCOMPLISH?

WORKOUT	YES	NO
WATER INTAKE	YES	NO
BEING MY BEST	YES	NO

GET DONE TOMORROW

WHAT KEPT ME GOING?

_____
_____
_____
_____
_____

MORNING

DAILY AFFIRMATIONS

I AM _____

I AM _____

I AM _____

I AM _____

I AM _____

TO-DO LIST

- [ ] _____
- [ ] _____
- [ ] _____
- [ ] _____
- [ ] _____
- [ ] _____
- [ ] _____
- [ ] _____
- [ ] _____
- [ ] _____
- [ ] _____
- [ ] _____
- [ ] _____

PLAN TO BE BETTER THAN YESTERDAY

NOTES:

_____

_____

_____

_____

_____

_____

_____

_____

❄ ☁ 🌧 ☀

NIGHT

⌖ SMALL WINS

- ▪—▪ _____
- ▪—▪ _____
- ▪—▪ _____
- ▪—▪ _____
- ▪—▪ _____
- ▪—▪ _____
- ▪—▪ _____
- ▪—▪ _____
- ▪—▪ _____
- ▪—▪ _____
- ▪—▪ _____
- ▪—▪ _____

WHO I'M GRATEFUL FOR?

- _____
- _____
- _____
- _____
- _____

DID I ACCOMPLISH?

WORKOUT	YES	NO
WATER INTAKE	YES	NO
BEING MY BEST	YES	NO

GET DONE TOMORROW

WHAT KEPT ME GOING?

Weekly review

WEEK OF _____

MY FAVORITE AFFIRMATIONS WERE:

I AM _____

I AM _____

I AM _____

I AM _____

I AM _____

MY FAVORITE SMALL WINS WERE:

- _____
- _____
- _____
- _____
- _____

remember SMALL WINS

equal BIG GAINS

notes

MORNING

DAILY AFFIRMATIONS

I AM _____

I AM _____

I AM _____

I AM _____

I AM _____

TO-DO LIST

☐ _____

☐ _____

☐ _____

☐ _____

☐ _____

☐ _____

☐ _____

☐ _____

☐ _____

☐ _____

☐ _____

☐ _____

PLAN TO BE BETTER THAN
YESTERDAY

NOTES:

_____

_____

_____

_____

_____

_____

_____

_____

NIGHT

🎯 SMALL WINS

⫶⫶‖ _____
⫶⫶‖ _____
⫶⫶‖ _____
⫶⫶‖ _____
⫶⫶‖ _____
⫶⫶‖ _____
⫶⫶‖ _____
⫶⫶‖ _____
⫶⫶‖ _____
⫶⫶‖ _____
⫶⫶‖ _____
⫶⫶‖ _____

WHO I'M GRATEFUL FOR?

● _____
● _____
● _____
● _____
● _____

DID I ACCOMPLISH?

WORKOUT	YES	NO
WATER INTAKE	YES	NO
BEING MY BEST	YES	NO

GET DONE TOMORROW

WHAT KEPT ME GOING?

_____
_____
_____
_____
_____

MORNING

DAILY AFFIRMATIONS

I AM _____

I AM _____

I AM _____

I AM _____

I AM _____

PLAN TO BE BETTER THAN YESTERDAY

TO-DO LIST

- [ ] _____
- [ ] _____
- [ ] _____
- [ ] _____
- [ ] _____
- [ ] _____
- [ ] _____
- [ ] _____
- [ ] _____
- [ ] _____
- [ ] _____
- [ ] _____

NOTES:

_____

_____

_____

_____

_____

_____

_____

_____

NIGHT

SMALL WINS

⊪-⊪ _____
⊪-⊪ _____
⊪-⊪ _____
⊪-⊪ _____
⊪-⊪ _____
⊪-⊪ _____
⊪-⊪ _____
⊪-⊪ _____
⊪-⊪ _____
⊪-⊪ _____
⊪-⊪ _____
⊪-⊪ _____

WHO I'M GRATEFUL FOR?

- _____
- _____
- _____
- _____
- _____

DID I ACCOMPLISH?

WORKOUT	YES	NO
WATER INTAKE	YES	NO
BEING MY BEST	YES	NO

GET DONE TOMORROW

WHAT KEPT ME GOING?

_____
_____
_____
_____
_____

MORNING

DAILY AFFIRMATIONS

I AM _____
I AM _____
I AM _____
I AM _____
I AM _____

PLAN TO BE BETTER THAN
YESTERDAY

TO-DO LIST

- [ ] _____
- [ ] _____
- [ ] _____
- [ ] _____
- [ ] _____
- [ ] _____
- [ ] _____
- [ ] _____
- [ ] _____
- [ ] _____
- [ ] _____
- [ ] _____
- [ ] _____

NOTES:
_____
_____
_____
_____
_____
_____
_____
_____
_____

NIGHT

SMALL WINS

-
-
-
-
-
-
-
-
-
-
-
-

WHO I'M GRATEFUL FOR?

-
-
-
-
-

DID I ACCOMPLISH?

WORKOUT	YES	NO
WATER INTAKE	YES	NO
BEING MY BEST	YES	NO

GET DONE TOMORROW

WHAT KEPT ME GOING?

DATE: _____ S M T W T F S

MORNING

DAILY AFFIRMATIONS

I AM _____

I AM _____

I AM _____

I AM _____

I AM _____

PLAN TO BE BETTER THAN YESTERDAY

TO-DO LIST

☐ _____

☐ _____

☐ _____

☐ _____

☐ _____

☐ _____

☐ _____

☐ _____

☐ _____

☐ _____

☐ _____

☐ _____

NOTES:

_____

_____

_____

_____

_____

_____

_____

_____

169

❄ ☁ 🌧 ☀

NIGHT

⌖ SMALL WINS

⫱ ‐‐‐‐‐‐‐‐‐‐‐‐‐‐‐‐‐‐‐‐‐
⫱ ‐‐‐‐‐‐‐‐‐‐‐‐‐‐‐‐‐‐‐‐‐
⫱ ‐‐‐‐‐‐‐‐‐‐‐‐‐‐‐‐‐‐‐‐‐
⫱ ‐‐‐‐‐‐‐‐‐‐‐‐‐‐‐‐‐‐‐‐‐
⫱ ‐‐‐‐‐‐‐‐‐‐‐‐‐‐‐‐‐‐‐‐‐
⫱ ‐‐‐‐‐‐‐‐‐‐‐‐‐‐‐‐‐‐‐‐‐
⫱ ‐‐‐‐‐‐‐‐‐‐‐‐‐‐‐‐‐‐‐‐‐
⫱ ‐‐‐‐‐‐‐‐‐‐‐‐‐‐‐‐‐‐‐‐‐
⫱ ‐‐‐‐‐‐‐‐‐‐‐‐‐‐‐‐‐‐‐‐‐
⫱ ‐‐‐‐‐‐‐‐‐‐‐‐‐‐‐‐‐‐‐‐‐
⫱ ‐‐‐‐‐‐‐‐‐‐‐‐‐‐‐‐‐‐‐‐‐
⫱ ‐‐‐‐‐‐‐‐‐‐‐‐‐‐‐‐‐‐‐‐‐

WHO I'M GRATEFUL FOR?

- ‐‐‐‐‐‐‐‐‐‐‐‐‐‐‐‐‐‐
- ‐‐‐‐‐‐‐‐‐‐‐‐‐‐‐‐‐‐
- ‐‐‐‐‐‐‐‐‐‐‐‐‐‐‐‐‐‐
- ‐‐‐‐‐‐‐‐‐‐‐‐‐‐‐‐‐‐
- ‐‐‐‐‐‐‐‐‐‐‐‐‐‐‐‐‐‐

DID I ACCOMPLISH?

WORKOUT	YES	NO
WATER INTAKE	YES	NO
BEING MY BEST	YES	NO

GET DONE TOMORROW

WHAT KEPT ME GOING?

‐‐‐‐‐‐‐‐‐‐‐‐‐‐‐‐‐‐
‐‐‐‐‐‐‐‐‐‐‐‐‐‐‐‐‐‐
‐‐‐‐‐‐‐‐‐‐‐‐‐‐‐‐‐‐
‐‐‐‐‐‐‐‐‐‐‐‐‐‐‐‐‐‐
‐‐‐‐‐‐‐‐‐‐‐‐‐‐‐‐‐‐

DATE: _____

MORNING

DAILY AFFIRMATIONS

I AM _____
I AM _____
I AM _____
I AM _____
I AM _____

PLAN TO BE BETTER THAN
YESTERDAY

TO-DO LIST

- [ ] _____
- [ ] _____
- [ ] _____
- [ ] _____
- [ ] _____
- [ ] _____
- [ ] _____
- [ ] _____
- [ ] _____
- [ ] _____
- [ ] _____
- [ ] _____
- [ ] _____

NOTES:
_____
_____
_____
_____
_____
_____
_____
_____

NIGHT

🎯 SMALL WINS

- _____
- _____
- _____
- _____
- _____
- _____
- _____
- _____
- _____
- _____
- _____
- _____

WHO I'M GRATEFUL FOR?

- _____
- _____
- _____
- _____
- _____

DID I ACCOMPLISH?

WORKOUT	YES	NO
WATER INTAKE	YES	NO
BEING MY BEST	YES	NO

GET DONE TOMORROW

WHAT KEPT ME GOING?

_____
_____
_____
_____
_____

MORNING

DAILY AFFIRMATIONS

I AM _____

I AM _____

I AM _____

I AM _____

I AM _____

PLAN TO BE BETTER THAN YESTERDAY

TO-DO LIST

- [ ] _____
- [ ] _____
- [ ] _____
- [ ] _____
- [ ] _____
- [ ] _____
- [ ] _____
- [ ] _____
- [ ] _____
- [ ] _____
- [ ] _____
- [ ] _____

NOTES:

_____

_____

_____

_____

_____

_____

_____

_____

❄ ☁ 🌧 ☀

NIGHT

SMALL WINS

⊪─⊪ _____
⊪─⊪ _____
⊪─⊪ _____
⊪─⊪ _____
⊪─⊪ _____
⊪─⊪ _____
⊪─⊪ _____
⊪─⊪ _____
⊪─⊪ _____
⊪─⊪ _____
⊪─⊪ _____
⊪─⊪ _____

WHO I'M GRATEFUL FOR?

• _____
• _____
• _____
• _____
• _____

DID I ACCOMPLISH?

WORKOUT	YES	NO
WATER INTAKE	YES	NO
BEING MY BEST	YES	NO

GET DONE TOMORROW

WHAT KEPT ME GOING?

_____
_____
_____
_____
_____

MORNING

DAILY AFFIRMATIONS

I AM _____

I AM _____

I AM _____

I AM _____

I AM _____

```
PLAN TO BE BETTER THAN
        YESTERDAY
```

TO-DO LIST

- ☐ _____
- ☐ _____
- ☐ _____
- ☐ _____
- ☐ _____
- ☐ _____
- ☐ _____
- ☐ _____
- ☐ _____
- ☐ _____
- ☐ _____
- ☐ _____
- ☐ _____

NOTES:

_____

_____

_____

_____

_____

_____

_____

_____

※ ☁ ☂ ☀

NIGHT

SMALL WINS

⫶⫶ _____
⫶⫶ _____
⫶⫶ _____
⫶⫶ _____
⫶⫶ _____
⫶⫶ _____
⫶⫶ _____
⫶⫶ _____
⫶⫶ _____
⫶⫶ _____
⫶⫶ _____
⫶⫶ _____

WHO I'M GRATEFUL FOR?

• _____
• _____
• _____
• _____
• _____

DID I ACCOMPLISH?

WORKOUT	YES	NO
WATER INTAKE	YES	NO
BEING MY BEST	YES	NO

GET DONE TOMORROW

WHAT KEPT ME GOING?

_____
_____
_____
_____
_____

Weekly review

_____

MY FAVORITE AFFIRMATIONS WERE:

I AM _____

I AM _____

I AM _____

I AM _____

I AM _____

MY FAVORITE SMALL WINS WERE:

◦–◦ _____

◦–◦ _____

◦–◦ _____

◦–◦ _____

◦–◦ _____

remember SMALL WINS

equal BIG GAINS

notes

178

notes

Made in United States
Orlando, FL
06 June 2023

33881292R00102